KU-561-297

Loi n° 49-956 du 16 juillet 1949 sur les publications destinées à la jeunesse.
Rédaction : Anne Marchand Kalicky. Maquette : NoOok. Dépôt légal : février 2017.
Achevé d'imprimer en février 2017 par Canale en Roumanie. Édition 01.

nickelodeon

UN EXTRATERRESTRE À GRANDE VALLÉE

hachette
JEUNESSE

Par une belle nuit éclairée par la lune, Ryder, Stella et Rocky observent les étoiles.

– Cette constellation s'appelle la Grande Ourse, explique Ryder à ses chiots.

– Ça me fait penser à une casserole que l'on plongerait dans un sac de croquettes ! plaisante Rocky.

Tous éclatent de rire quand soudain, une grosse boule de feu jaillit du ciel et plonge vers la Grande Vallée.

– Hum ! Ça ne peut pas être une étoile, devine Ryder en s'emparant de ses jumelles. On dirait une sorte de vaisseau spatial.

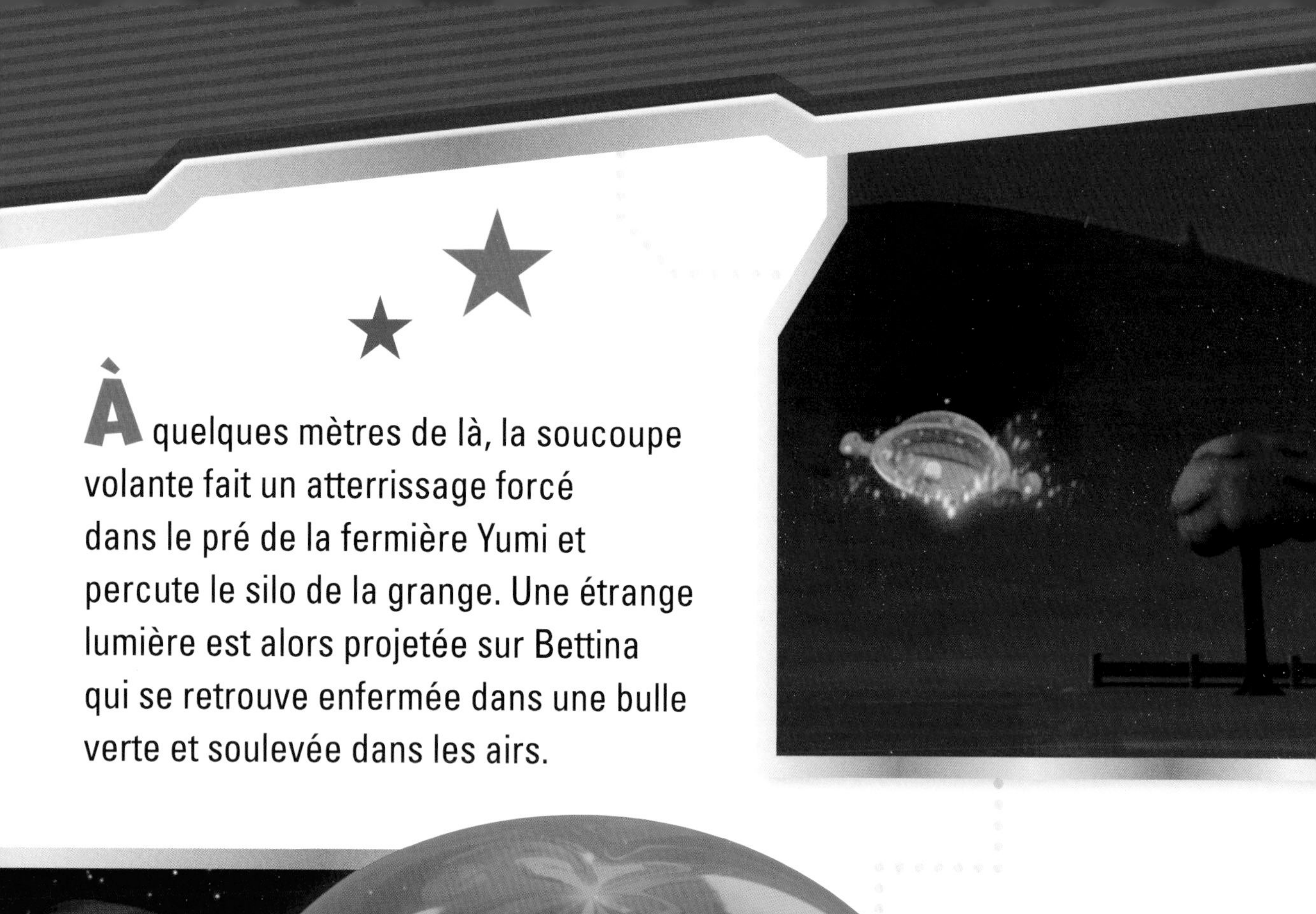

À quelques mètres de là, la soucoupe volante fait un atterrissage forcé dans le pré de la fermière Yumi et percute le silo de la grange. Une étrange lumière est alors projetée sur Bettina qui se retrouve enfermée dans une bulle verte et soulevée dans les airs.

Au même moment, madame Goodway sort de la ferme en chantant après avoir prêté sa lessiveuse à madame Yumi. Mais à peine s'est-elle retournée qu'elle aperçoit la vache suspendue dans les airs. *Meuuuuh* !

– Bettina ! s'écrie-t-elle. Comment as-tu fait pour monter dans… cette chose étrange ? J'ignore comment t'aider à redescendre… Mais je sais qui appeler !

Ryder, Stella et Rocky se dirigent déjà vers l'endroit où ils pensent avoir vu tomber le vaisseau spatial quand le téléphone de Ryder se met à sonner. C'est madame Goodway !

– Ryder ! Tu ne vas pas en croire tes yeux ! s'écrie-t-elle, paniquée, en dirigeant l'écran de son téléphone sur Bettina. Pourrais-tu aider cette pauvre vache et découvrir ce qui a bien pu se passer ?

– On est sur le coup, madame Goodway ! Aucune mission n'est trop dure, car mes amis ils assurent ! répond Ryder en appelant aussitôt ses chiots grâce à son portable. Pat' Patrouille, rassemblement !

Tous se précipitent vers la Tour de Contrôle avant de se ranger devant Ryder.

– Pat' Patrouille au complet ! annonce Chase.

Devant son écran géant, Ryder leur explique la situation.

– Nous étions en train de regarder les étoiles quand nous avons vu quelque chose tomber du ciel ! Un objet a atterri tout près de la ferme de madame Yumi…

– Et ça ressemblait beaucoup à un vaisseau spatial, ajoute Stella.

– Madame Goodway nous a montré quelque chose de vraiment étrange, poursuit Ryder à l'aide de son écran géant sur lequel s'affiche l'image de Bettina suspendue en l'air dans une bulle verte.

– Pour cette mission, j'aurai besoin de Chase ! On peut se servir de tes gadgets d'espion pour retrouver le pilote du vaisseau spatial.

– Chase est sur le coup ! répond le chiot.

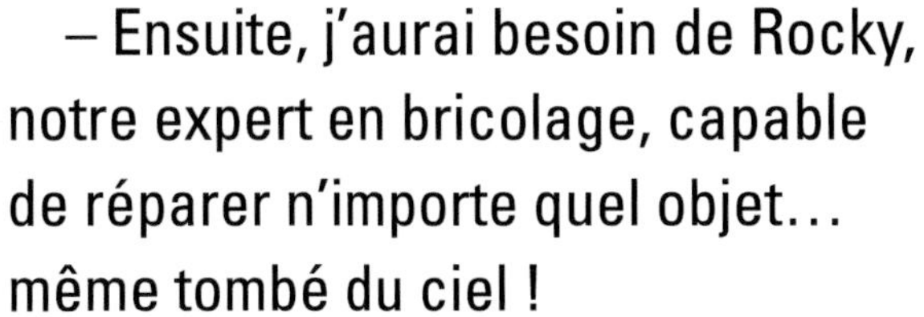

– Ensuite, j'aurai besoin de Rocky, notre expert en bricolage, capable de réparer n'importe quel objet… même tombé du ciel !

– Recycler, c'est mon domaine, répond Rocky.

– Parfait ! C'est parti ! La Pat' Patrouille part en mission !

Ryder, Chase et Rocky se précipitent dans leurs véhicules et filent aussitôt vers la ferme de madame Yumi. Une fois sur place, Ryder aperçoit Bettina coincée dans sa bulle verte ainsi que la soucoupe volante accidentée.

– Chase ! Sers-toi de ta tyrolienne à ventouses pour faire descendre Bettina.

Le petit chien actionne son câble qui vient se fixer sur la vache. Il tire de toutes ses forces, la bulle éclate et Bettina retombe lourdement sur le sol.

– Chase ! Utilise ton matériel d'espionnage pour retrouver le pilote de la soucoupe.

– *Ouaf !* Compris, chef ! répond le chiot en abaissant ses lunettes de vision nocturne.

Chase s'éloigne en reniflant le sol et repère aussitôt des traces dans la terre.

– Je me demande quel genre de créature a bien pu faire ça…

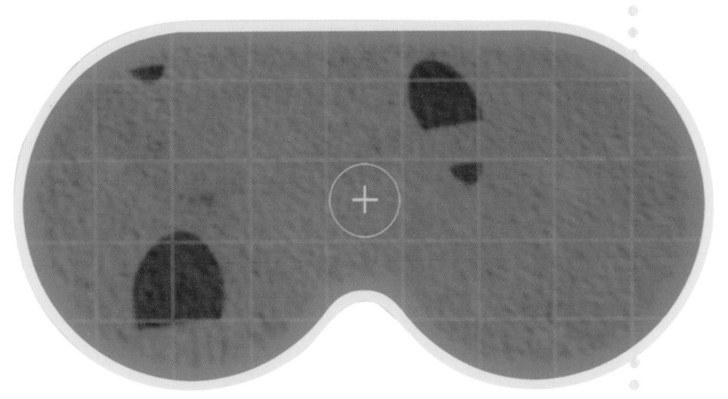

Depuis son appel à Ryder, madame Goodway a disparu dans les champs de maïs qui entourent la ferme. Elle cherche partout sa poulette, Galinetta.

– Je t'ai déjà dit de ne pas t'éloigner de maman ! crie-t-elle dans la nuit.

Soudain, elle entend un drôle de bruit…
Bip, bip, bip !

– Il y a quelque chose qui cloche… ma poule fait *bop, bop, bop* et non *bip, bip, bip*.

Elle se baisse et retrouve Galinetta mais le petit bonhomme vert est, lui aussi, tout près. En apercevant madame Goodway, il envoie un rayon dans sa direction. Comme Bettina, elle se retrouve enfermée avec sa poulette dans une grosse bulle verte.

– C'est fou ! Je peux voir ma maison d'ici ! s'écrie-t-elle.

L'extraterrestre vient à peine de prendre la fuite que Chase déboule dans le champ, la truffe au ras du sol. Il constate que les traces qu'il suit sont encore fraîches. Soudain, une voix venant d'en haut l'interpelle.

– Madame Goodway ! s'écrie Chase en levant les yeux. Comment êtes-vous arrivée là-haut ?

– Un petit bonhomme vert nous a téléportées, Galinetta et moi.

– Un extraterrestre ? Pour de vrai ? Il faut que je le trouve ! s'écrie Chase avant de libérer madame Goodway et sa poulette.

À peine sur la terre ferme, madame Goodway lui indique la direction prise par la créature venue d'ailleurs. Chase abaisse de nouveau ses lunettes de vision nocturne et repart à la recherche du petit homme vert. Il traverse bientôt un champ de melons.

C'est là que se cache l'extraterrestre ! Chase vient de le repérer mais le petit alien l'enferme aussitôt dans une bulle et s'enfuit de nouveau.

– Au secours ! À l'aide ! s'écrie Chase.

Heureusement, le petit chien est drôlement intelligent : s'il a réussi à libérer Bettina et madame Goodway grâce à ses ventouses, il devrait pouvoir s'en sortir tout seul. Il actionne aussitôt sa tyrolienne qui vient se fixer à deux troncs d'arbre et en moins d'une minute, le voici libre à son tour !

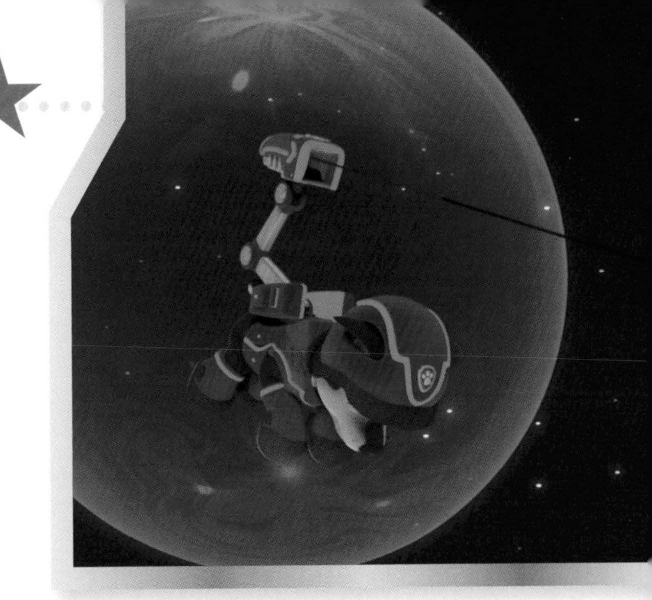

À la ferme de madame Yumi, Ryder et Rocky inspectent la soucoupe volante.

Les dégâts sont importants : une antenne est toute tordue et la roue d'atterrissage est crevée. Heureusement, le camion de Rocky est rempli de pièces détachées.

Aussitôt, le chiot décide d'utiliser une roue de vélo pour réparer le train d'atterrissage et un cintre pour remplacer l'antenne abîmée.

– Bravo, Rocky ! Je vais voir où en est Chase ! annonce Ryder.

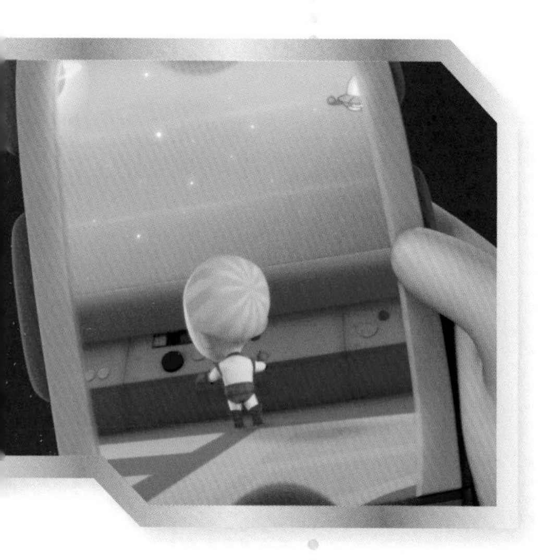

Le jeune garçon retrouve le chiot au pied de la Tour de Contrôle. Si son flair l'a mené jusque-là, c'est que l'extraterrestre ne doit pas être loin. Ryder écoute Chase lui raconter ses aventures quand soudain, son téléphone se met à sonner.

– Ryder, c'est Stella ! On a un visiteur dans la Tour de Contrôle ! prévient-elle en dirigeant l'écran de son téléphone sur l'extraterrestre en train de pianoter sur tous les boutons.

Ryder et Chase foncent au sommet de la Tour de Contrôle.

Devant l'écran, le petit bonhomme vert tourne en rond et semble paniqué : il veut rentrer chez lui pour retrouver sa maman ! Ryder téléphone à Rocky.

Aux commandes de la soucoupe volante, le chiot lui annonce joyeusement que sa mission est terminée.

– Bravo, Rocky ! Tu as réparé le vaisseau spatial ! s'écrie Stella.

– Quand vous avez un problème, appelez-nous… ou bien, dites *bip, bip, bip* ! dit Ryder.

Ryder et le jeune extraterrestre foncent au pied de la Tour de Contrôle où les attend Rocky. Tous les trois grimpent dans la soucoupe volante pour un petit tour dans les airs !

Depuis le balcon de la salle principale, les autres chiens admirent leurs voltiges quand soudain, Ryder actionne le rayon laser qui les téléporte dans la soucoupe !

La Pat' Patrouille au complet est prête pour survoler la Grande Vallée à bord de la soucoupe. Au loin, ils aperçoivent madame Goodway qui rentre chez elle avec Galinetta. Mais il est bientôt l'heure de rentrer et de dire au revoir au petit extraterrestre.

– C'était la meilleure balade au monde, s'écrie Ryder.

– Ouaf ! Ouaf !